보험의 모든 것

인선교 지음

BOOKK

CONTENTS

프롤로그

안녕하세요. 저는 2017년 9월에 주식회사 프라임에셋에 입사해서 금융 및 보험업을 하고 있습니다. 또한 블로그, 유튜브, 인터넷 카페, 네이버 지식인 등 온라인 매체를 통해 대중이 갖고 있는 보험에 대한 잘못된 인식을 바로잡고, 사고와 질병 등 어려움에 처한 분들에게 여러 유익한 정보를 제공해 드리고 있습니다.

보험 회사에 입사했을 당시 23살이라는 어린 나이였기 때문에, 다른 전문 설계사들과의 경쟁에서 살아남기 위해 누구보다 많은 교육을 듣고 더 치열하게 공부했습니다.

현재는 프라임에셋 지사장으로서, 약 20명의 지점원들과 함께 보험 시장에서 살아남기 위해 고군분투하고 있습니다.

저를 믿고 보험에 가입해 주신 고객분들께 조금이나마 도움이 되길 바라는 마음에서 책을 집필하게 되었습니다. 이 책을 통해 많은 분들이 현명하게 보험에 가입하고, 크고 작은 사고로 입은 피해를 잘 보장받으셨으면 좋겠습니다.

약 천 명의 고객 관리를 하면서 느낀 점은 보험을 관리해 주는 담당 보험 설계사의 역할이 매우 중요하다는 것입니다.

보험 가입 시와 수령 시 달라질 수 있는 고객의 가정 환경과, 재정 상황을 고려하여 보험을 설계하고, 추후에 고객이 보험료가 부담되어 해지를 하여 손해를 보지 않도록 하는 것이 중요하다고 생각합니다. 보험 설계사는 그 가정의 노후를 책임지고 있다고도 할 수 있습니다.

그러므로 보험 설계사는 더욱 책임감을 가지고 임해야 되며 고인 물이 되어 정체되지 않도록 늘 배우고 꾸준히 발전해야 한다고 생각합니다.

개인과 기업의 전 생애 동안 일어날 수 있는 리스크를 관리하고 효율적인 자산 증식 플랜과 다음 세대로의 자산 이전까지 안전하게 이루어질 수 있도록 고객과 함께하겠습니다. 또한 보험이 갖고 있는 소중한 가치들을 더 많은 분들께 마음속 깊이 전달하기 위해 노력하겠습니다.

01

보상 전문가가 알려 주는

보험 가입의 모든 것

01

보험에 대한 생각의 전환

미래를 미리 내다볼 수 있다면 얼마나 좋을까요? 고객님 앞에 무슨 일이 생길지 제가 미리 알 수만 있다면 최선을 다해서 그 '일'에 대비하셔야 된다고 확신 있게 말할 것입니다.

어떤 고객님이 5년 뒤에 암에 걸릴 것이 확실하다면 그 직전에 암 보험금을 최대한 받을 수 있게 가입시켜 드리고, 어떤 고객님은 평생 건강하게 오래 살 것이 확실하다면 보험에 돈 낭비 하지 말고 저축만 열심히 하시라고 할 것입니다. 앞날을 확실히 알 수 있다면 고객님들도 인생의 계획을 세우기 혼란스럽지 않을 것이고, 보험 설계사들끼리도 이 보험이 낫네 저 보험이 낫네 하고 논쟁하지도 않겠죠.

제가 갖고 있던 보험에 대한 생각이 완전히 바뀌게 된 계기가 있었습니다. 저랑 가깝게 지내는 고객님이 계셨는데 그 분의 부군께서 돌아가신 일이 있었습니다. 고객님이 "남편 2만 원짜리 간병인 보험 하나만 해 줘."라고 하셔서 정말 말 그대로 그 부분만 가입시켜 드렸습니다. 그런데 가입하신 보험이 별로 없어서 다른 것도 같이 준비하시는 게 어떻겠냐고 가볍게 여쭤 보았는데, "별일 있겠어? 보험료도 부담스러운데..." 하셔서, 저도 그저 "그죠? 건강하시겠죠?" 하고 대꾸하고 말았습니다.

그분은 보험에 워낙 관심이 없으신데, 간병비 보험이라도 갖고 계신 게 어디냐라는 생각이었고, 괜히 보험 가입을 더 추천했다가 좋지 않은 형편에 부담만 얹어 드리는 것 같아서 설마 하고 웃으면서 넘어간 것입니다.

그리고 나서 약 1년 뒤 고객님의 부군께서 뇌출혈로 갑자기 쓰러지셨다는 연락이 왔습니다. 처음에는 1년 전에 가입하신 간병인 보험을 사용할 수 있겠다고 생각하여 서류를 준비하고 있었는데 도와드릴 시간도 없이 3일 만에 돌아가셨습니다.

장례식에 갔을 땐 혼자 남으신 고객님과 어린 자녀 두 명이 제사는 어떻게 치를지, 앞으로 어떻게 살아야 할지 막막해 하셨습니다. 남편을 잃은 마음을 추스릴 새도 없이 장례식 끝나고 당장 돈 벌러 나갈 생각을 하시는 고객님을 보며, 보험 가입도 제대로 못 도와드린 제가 너무 답답하고 마음이 아팠습니다. 고객님들께서 인생을 살아가면서 겪으실 수 있는 여러 리스크를 대비하고, 안정적인 미래를 준비할 수 있도록 도와드리는 일이 저의 일인데 안일한 생각으로 도움을 드리지 못한 것을 반성했습니다.

우리는 앞날을 알 수 없기 때문에 모든 리스크를 효율적으로 대비하면서 자산을 지켜야 합니다. 보험 설계에 정답은 없지만, 수많은 사례들을 통해 보험을 어떻게 설계해야 현명한 것인지 깨닫게 되곤 합니다.

02

보험 설계가 중요한 이유

사람들이 보험에 가입하는 목적은 무엇일까요? 당연히, 치명적인 위험에 대비하기 위해서이지요. 한창 경제 활동을 해야 할 나이에 경제적으로 커다란 손해를 끼칠 일이 생기거나, 은퇴를 하였는데 노후 생활에 위협이 될 정도로 막대한 치료비가 드는 질병에 걸리게 될 수도 있습니다. 그렇다면 우리는 안정적인 생활을 할 수가 없겠지요.

보험에는 수많은 특약이 존재하는데요. 모든 가입자가 그 많은 특약 보험에 대해 이해하는 건 매우 어려운 일입니다. 게다가 그것들은 시간이 지나면서 달라지기도 하여 보장 범위가 커지기도 하고 줄어들기도 하고, 약관이 변경되는 경우도 있습니다. 그래서 보험을 가입하는 기준과 시기가 매우 중요합니다. 같은 돈을 내더라도 가입 시점에 따라 보장을 더 받을 수 있고, 덜 받을 수도 있습니다. 또한 어떤 특약을 가입하냐에 따라 보장 폭도 달라집니다. 수많은 특약이 있는데 그 많은 것을 모두 가입하면 안됩니다. 종합 보험이라 할지라도 필요한 특약만 골라 담는 것이 치명적 위험에 대비하는 올바른 보험 설계 방법입니다.

여러 보험 회사의 상품을 비교해서 한도가 높고 보험료가 저렴한 상품을 찾는 것이 올바른 보험 설계의 핵심입니다. 당장 질병이 닥치지 않았다고 하더라도 위험을 대비하기 위해 저렴한 비용을 지불하고 있으므로 보험료는 아깝지 않은 것입니다.

요즘은 뇌졸중보다는 보장 범위가 넓은 뇌혈관 질환 또는 심장 질환에 대비한 다양한 특약이 나오고 있습니다. 또한 치명적 위험을 대비하면서도 보장 자산을 늘려주는 진화된 상품이 출시되고 있습니다. 예를 들면, 예전에는 항암 치료비 가입 금액이 최대 500만 원이었지만, 중입자 치료 비용이 매우 높은 것을 고려하여 현재는 5천만 원까지도 가입이 가능합니다.

가치관이 올바르고 지식이 풍부한 담당자를 만나는 것도 중요합니다. 단지 친분이 있는 설계사의 말만 듣고 계약하면 나의 상황에 맞고 보장 자산을 늘릴 수 있는 방향이 아니라 막연한 위험에만 대비하고 그저 평균적인 정도의 보험에 가입하게 될 수도 있습니다. 그렇게 되면 보험료도 비싸고, 내가 정말 필요할 때 원하는 보장을 제대로 받을 수 없게 됩니다.

보험은 한두 달 납입하고 끝나는 게 아니지요. 장기적인 상품이기에 평균 20년을 납입해야 합니다. 월 10만 원의 보험을 가입했다면 20년간 총 2,400만 원의 보험료를 내야 합니다.

마트에서 쇼핑할 때는 몇백 원 차이로 비교하고 고민하면서 보험 가입 시에는 왜 그러지 못할까요? 2천만 원 상당의 자동차를 구매하는 것은 매우 조심스러워 하면서 같은 금액의 보험 상품에는 덜컥 가입해버리기도 합니다. 정확한 보험 설계를 받으려면 보장 내역에 대해 소비자도 반드시 알아야 합니다.

많은 분들이 피해를 입는 이유는 보험 설계자가 고객에게 진단비 보장이 중요한지, 후유 장해 보장이 중요한지 고려하지 않기 때문인데요. 성별이나 나이에 맞는, 보장의 우선순위를 정하지 않았기 때문에 효율적이지 않은 방식으로 보험 설계를 하게 됩니다. 그래서 설계를 할 때에는 기준이 매우 중요한데요. 본인에게 맞는 특약이 어떤 것인지, 무엇을 우선순위로 준비할 것인지 설계사와 상담을 한 후 여러 보험 회사를 비교하고 더 저렴한 상품을 찾아서 준비하는 게 좋습니다.

03

──────── 비싼 데에는 다 이유가 있다? ────────

보험 상담을 할 때 여러 회사 비교 견적서를 보내드리면 고객님들께서 왜 보험사마다 보험료가 다른지 질문하시는 경우가 있습니다. 암 진단비가 동일하게 1천만 원이라 하더라도 보험사마다 보험료가 조금씩 상이합니다. 그 이유는 가입자의 연령, 성별, 직업에 따라 보험료가 다르고, 위험률과 사업비가 보험사마다 각각 다르기 때문입니다. 간혹 연세 있으신 분들께서 비싼 것이 그만큼의 값어치를 한다며 비싸더라도 브랜드 평판이 좋은 '삼성'으로 가입하겠다고 하십니다. 그러나 보상받는 데에는 보험 회사의 브랜드 평판은 상관이 없습니다. 가입하려는 상품의 '계약 전 알릴 의무'에 위반되지 않으면 보험금을 못 받을 이유가 전혀 없고 알릴 의무 사항에 해당되더라도 고지를 하고 심사가 승인되면 보험금을 수령하는 것은 전혀 문제가 없습니다.

그러므로 보험료가 높다고 보험금을 더 주는 게 아니니 같은 보장을 받더라도 여러 회사 상품을 비교해서 사업비가 적게 차감되고 위험률이 낮아서 보험료가 저렴한 회사를 선택하시는 게 유리합니다.

요즘은 매월, 심지어는 매주 상품 내용이 변동되기 때문에 흐름을 잘 잡는 설계사를 만나는 게 중요합니다. 근무 경력이 오래된 설계자라고 해서 많은 것을 알고 전문적인 것이 아니라는 점을 참고하시면 좋겠습니다.

04

―――― 만기 환급형과 순수 보장형 차이 ――――

보험을 가입할 때 많이 고민하는 것 중 하나가 만기 환급형과 순수 보장형 중 무엇을 선택할까 하는 점입니다.

	만기환급형	순수보장형
특징	만기시 내가 낸 보험료를 다시 돌려받을 수 있거나 상당수 돌려받는 설계방식	내가 낸 보험료를 보장을 위해서 최대한 사용하게 하는 설계방식
장점	만기시 내가 낸 보험료를 다시 돌려받을 수 있다는 점	같은 금액으로 보다 더 높은 보장을 준비할 수 있음
단점	적립의 금액이 커지게 되면서 월납입료가 많이 높아질 수 있음	만기시 돌려받는 금액이 없거나 매우 적을 수 있음

이 표를 보면 두 상품의 차이가 확실히 보입니다. 본인의 목적에 따라 만기 환급형 또는 순수 보장형을 선택할 수 있습니다. 평생 동안 건강할 자신이 있고, 암에 걸리지 않았을 때 그동안 낸 보험료가 아까울 것 같다고 느끼시는 분들은 월 납입 보험료가 커지더라도 만기 환급형을 선택하는 게 좋습니다. 하지만 가

장 저렴한 금액으로 높은 보장을 얻고 싶은 분들께는 순수 보장형이 좋은 설계 방식이라고 생각합니다. 왜냐하면 보장성 보험은 저축이 아니라 보장이 목적인 상품이기 때문입니다. 보다 적은 금액으로 높은 보장을 기대할 수 있으며, 장기적으로 보유했을 때 부담이 적은 보험료로 진행을 해야 평생을 안전하게 유지할 수 있습니다.

간혹 만기 환급형을 저축으로 가입하는 분이 계신데요. 보험이 끝나면 받는 돈인데, 만기가 아닌 납입이 끝난 시점에 받는다고 생각하십니다. 하지만 만기 환급형은 보장이 만기가 될 때 받을 수 있습니다. 보통 보험을 준비할 때 만기를 100세로 설정하는데 100세 때 환급이 된다는 뜻입니다. 그 이전에는 인출이 불가능하거나 해지를 할 때 해지 환급금이 현저히 낮고 100세 만기 때 원금을 받더라도 화폐 가치가 납입한 시점과 비교해서 현저히 낮아지기 때문에 절대 절대 저축 목적으로 가입하시면 안 됩니다.

05

갱신형 vs 비갱신형 ?

초기에 납입하는 보험료가 납입 만기까지 고정되는 방식을 비갱신형이라고 합니다. 이 방식은 순수 보장형과 함께 많은 분들이 선택하는 설계 방식인데요. 세월이 흘러도 보험료가 오르지 않기 때문에 장기적으로 유지하는 데 매우 유리합니다.

	비갱신형	갱신형
설명	보험료를 납입하는 기간 동안 보험료 변동이 없는 보험	보험기간을 3년, 5년으로 정하고 해당 기간이 지날 때마다 납입 보험료가 변동되는 보험
납입기간	본인 지정 (5, 10, 15, 20년 등 지정 가능)	보장기간 내내 납입
장단점	가입 시 갱신형보다 보험료가 높지만 보험료 변경없이 처음 그대로 보장/가격 유지	가입 시 보험료는 저렴하나 갱신 시 보험료가 인상될 수 있으며, 갱신이 안될 수도 있음

정해진 기간 동안만 납부를 하면 되고 가격이 오르지 않기 때문에 평생 유지해야 하는 보험에 맞는 설계 방식이기도 합니다. 특히 갱신형과 다르게 정해진

기간만 납부하고 나면 그 뒤로는 설계 시 약속된 90세, 100세가 될 때까지 더 이상 납입하지 않고 보장받을 수 있기 때문에 나이가 들수록 발병률이 높아지는 질병을 대비하는 데 무엇보다 효과적입니다.

반면 갱신형은 갱신 기간을 정하고 해당 기간이 지날 때마다 보험료가 변동이 됩니다. 초기 보험료는 저렴하지만 갱신 시점마다 나이가 올라가기 때문에 보험료가 올라갑니다. 또한 100세 만기라고 하면 100세까지 보험료를 납입해야 하는 단점이 있어 60대 이후 경제 활동을 하지 않는 시기에 보험료의 부담이 커집니다.

간혹 50대 후반에서 60대분들이 가입 문의를 하실 때 비갱신형으로 설계를 하면 보험료가 많이 비싸기도 합니다. 이 경우에는 갱신형 보험 갱신 주기를 20년 혹은 30년으로 설정하여 보장을 받아야 되는 나이에 갱신되지 않게 비갱신형처럼 구성하는게 유리할 수 있습니다.

06
해지 환급금이 낮고
보험료도 저렴한 무해지 환급형

비갱신형과 순수 보장형에 어울리는 플랜은 무해지 환급형인데요. 말 그대로 납입 기간 중에 해지하는 경우 돌려받는 금액이 발생하지 않아 해지 환급금 미지급형이라고도 불립니다.

보험은 위험 관리용 금융 상품으로, 매달 비용을 납입하고 질병이나 상해로 병원에서 치료를 받을 때 필요한 금전을 지급해 줍니다. 만약 만기 이전에 보험 계약을 해지하게 되는 경우 해지 환급금을 받을 수 있습니다.

해약을 해 분들은 아시겠지만, 보험료 납입 기간 중에 해약을 하면 일반적으로 그간 납입한 비용 전체가 아닌 일부만을 돌려받는 경우가 대부분입니다.

무해지 환급형은 동일한 보상 내용을 가진 환급금 지급형 상품에 비해 환급금이 없는 대신 매달 납입하는 보험료가 일반형보다 약 30% 저렴하게 책정된 것이 특장점입니다. 물론 납입 기간 이후에는 해지 환급금이 있습니다.

07

해지 환급금이 낮으면
가입자에게 불리한 거 아닌가요?

군이 따지자면 그럴 수 있습니다. 납입하던 중간에 더 나은 상품으로 바꾸거나 사정상 보험을 해지하게 되는 경우 조금이라도 돌려받는 금액이 큰 것이 좋을 테니까요. 하지만 중도 해약을 목표로 상품을 가입하시는 분들은 없을 겁니다.

오랜 기간 나와 가족이 처할 수 있는 혹시 모를 어려운 상황에서 경제적 손실을 줄이기 위해 준비하는 것이 보험인데 해약을 하게 되면 그간 납입한 돈의 일부를 돌려받을 순 있지만 보험의 목적 자체가 상실됩니다. 그러므로 월 소득 대비 적절한 금액의 보험을 필요한 수준으로 가입하여 해지 가능성을 낮추는 것이 좋습니다. 따라서 위험 관리를 위해 보험에 가입하고자 한다면 매달 납입하는 비용이 낮은 상품을 추천하고 싶습니다.

08

보험 설계의 시작, 납기와 만기

납기 : 보험료를 내는 기간

만기 : 보장받는 기간의 끝

납기는 납입 기간의 줄임말로, 보험료를 납부하는 기간을 의미하는 단어입니다. 만기는 보장 만기의 줄임말로 처음 보험 가입 시 설정하는 내가 받을 보장 기간의 끝입니다.

예를 들어서 20년납 90세 만기라는 조건은 90세까지 보장받을 보험을 20년 동안 보험료를 내겠다는 말이지요(갱신형 담보는 제외).

납입 기간은 보험 회사에 따라서 5년 납, 10년 납도 있지만 고객님들은 통상적으로 20년납과 30년납을 가장 많이 선호합니다. 또한 납입 기간에 따라 보험료 차이가 발생합니다. 만약 짧게 10년 납입 기간을 설정한다면 매월 납입해야 하는 보험료는 많아지지만 총 납입해야 되는 보험료는 적어집니다. 반대로 납입 기간을 길게 30년으로 설정한다면 월 납입료는 적어지지만 총 납입료는 많아집니다. 할부의 개념과 비슷하여 납입 기간이 길어질수록 이자 액수가 많아지기 때문입니다.

납입 기간을 선택할 때 단순히 월 보험료만을 비교하기보다는 총 납입 보험료와 납입 기간의 차이점까지 감안하여 합리적인 판단을 내려야 장기적으로 유지가 가능합니다. 평생 동안 돈을 고정적으로 벌 수 있는 게 아니기 때문에 은퇴 전에 보험료 납입을 끝마칠 수 있도록 설정해야 합니다. 그래야 은퇴 이후에 보험료 납입으로 인한 부담이 없고 노후 자금을 확보하는 것도 문제가 없게 됩니다.

이처럼 납입 기간은 길고 짧은 경우에 각각 장단점이 있고 고객의 상황에 따라 달라질 수 있으니 전문 설계사와의 상담을 통해 정하시면 되겠습니다.

보장 만기의 경우는 기본적으로 80세, 90세, 100세까지 있고 상품에 따라 110세까지 선택할 수 있습니다. 예전에 가입하신 분들은 그 당시의 상황에 따라 80세 만기로 설정되어 있는 경우가 많습니다. 그러나 현재는 평균 수명이 80세를 넘겼고 100세 시대라는 말도 나오고 있습니다. 따라서, 80세 만기보다는 90세를, 젊은 연령층 고객님에게는 100세 만기를 추천하고 싶습니다.

09

───── 기본 계약은 최소로 설정하기 ─────

모든 보험에는 고객이 원치 않더라도 의무로 꼭 포함해야 하는 기본 계약이 있습니다. '의무담보'라고도 하죠. 이러한 기본 계약은 대부분 상해 사망이나 상해 후유 장해 80% 등 보험사 입장에서 이득이 되는 것들로 이루어져 있습니다. 예를 들어 40대 남성이 암 보험을 가입하려고 하는데, 기본 계약으로 상해 사망을 2억 원 넣으라고 한다면 배보다 배꼽이 더 커질 수 있습니다.

따라서, 보험사들의 기본 계약을 파악한 후 가장 최소로 가입 가능한지, 계약 내용이 고객에게 유리한 조건으로 준비가 가능한지 파악하는 것이 중요합니다.

또한 특정 담보를 가입하려고 할 때 필수로 넣어야 하는 의무 연계 조건 특약이 있습니다. 고객 입장에서는 이런 특약은 최소로 가입하는 것이 유리하겠죠?

10

대리점 설계사 VS 전속 설계사?

설계사를 위촉할 때 두 가지 방법이 있습니다. KB, 메리츠, 삼성 등 한 보험 회사에 입사하여 그 회사의 상품만 판매하는 것으로 그 회사의 '전속' 보험 설계사가 되는 것입니다. 이 경우 한 회사의 상품만 판매하기 때문에 외워야 할 상품이 많지 않다는 장점이 있습니다. 하지만, 한 회사의 상품만 다루다 보면 고객의 니즈에 맞춘 보험을 추천하기가 어렵습니다. 다른 경쟁 보험 회사의 상품이 더 좋은 것을 알면서도 본인이 소속되어 있는 보험 회사의 상품만 팔 수밖에 없기 때문입니다. 실제 저희 지점에 있는 많은 분들이 메리츠나 삼성, KB 전속으로 소속되어 있다가 상품의 경쟁력과 선택의 폭이 적다는 한계점을 느껴 이직을 하였습니다.

반면 'GA'라고 불리는 보험 대리점이 있는데, 여러 보험 회사의 상품을 판매하기 때문에 다양한 상품과 고객이 원하는 보험을 비교 분석하여 판매할 수 있다는 장점이 있습니다. 그러나 여러 회사 상품을 취급하다 보니 알아두어야 할 게 많아 처음에 설계사분들이 정착하기는 어렵지만, 한번 정착하고 나면 보험 전문가로서 고객의 니즈를 파악해 전문적인 컨설팅을 할 수 있습니다.

물론 모든 GA에 있는 설계사가 전문적이진 않지만 경력이 많고 직급이 높을수록 전문적일 확률은 높아집니다.

11

보험 잘 가입하는 방법?

간혹 가족이나 지인 중 보험 설계사가 있다면 그로부터 보험 권유를 받은 경우가 있으실텐데요. 지인이니까 믿고 가입하기도 하고, 관계 때문에 어쩔 수 없이 가입하게 되기도 합니다. 하지만 지인에게 적극적으로 영업하는 설계사들은 보험 설계를 한 지 얼마 안 된 초보 설계사가 대부분입니다. 왜냐하면 전문적인 설계사는 지인에게 영업을 하지 않더라도 기존 고객분들과 그분들로부터 소개받은 분들, 그리고 신규 고객들로 차고 넘치기 때문입니다. 그런 전문적인 설계사들은 정보가 오픈되어 있는 블로그나 유튜브, 카페에서 질 좋은 정보를 나누어 줍니다. 그러므로 온라인으로 활동하시는 설계사들로부터 상담을 받아 보고, 본인에게 가장 잘 맞는 설계사를 선택해 노후를 책임질 보험을 준비하셔야 합니다.

지인 초보 설계사들은 보험에 대한 지식도 많지 않고 가족이나 지인 등을 대상으로 영업을 하므로 전문성이 떨어질 수밖에 없습니다. 결국 소개도 이루어지지 않고 실적이 나오지 않으니 그만두게 되는 경우가 허다합니다.

우리 인생에서 보험은 경제 활동을 하는 시기에 어려움을 만난 경우 무너지지 않게 해 주고, 나이가 들어서 노후를 맞이했을 때 생활이 부족하지 않게 도와주는 가장 중요한 역할을 합니다. 이렇게 중요한데 아는 사람이 권유한다고 해서 무작정 가입하면 안 됩니다.

02

보상 전문가가 알려 주는
실손 의료비

보상 전문가가 알려 주는 실손 의료비

• 실손의료비 변천사

03년 10월   09년 8~10월   13년 1~4월

1세대   **2세대**

구분	표준화 이전	표준화 I	표준화 II
보험기간	80세/100세	100세	15년 재가입
갱신주기	3년/5년	3년	1년
담보구성	상해의료비 상해/질병 입통원	상해/질병 입통원 종합 입통원	상해/질병 입통원
자기부담금(공제액)	자기부담금 상품별 차등 (거의 없는 정도)	입원 10% (연간 자부담 200만원 한도) 외래 1~2만, 약제 8천원	입원 1~20% (연간 자부담 200만원 한도) 통원 1~2만 or 1~20% 약제 8천원
보장비율	손보 100% 생보 80%	90%	선택 급여 90% 비급여 80%
면책기간 (입원)	180일 (질병만)	90일	90일, 같은 질병인 경우 180일
상급병실	상급병실 차액 50%	상급병실 차액 50% (1일 10만 한도)	상급병실 차액 50% (1일 10만 한도)
가입금액	입원 최대 1억 10만원, 30만원, 100만원	입원 최대 5천만 통원 최대 30만	입원 최대 5천만 통원 최대 30만

	16년 1월	17년 4월	21년 7월
	2세대	3세대	4세대
	표준화II	착한실손	-
	15년 재가입	15년 재가입	5년 주기 재가입
	1년	1년	1년
	상해/질병 입통원	기본 : 상해/질병 입통원 특약 : 3대 비급여	기본 : 상해/질병 특약 : 상해/질병/3대
	입원 급여 10% 비급여 20% (연간 자부담 200만 한도) 통원 1~2만 or 급여 10% 비급여 20% 약제 8천원 or 급여 10% 비급여 20%	입원 급여 10% 비급여 20% (연간 자부담 200만 한도) 통원 1~2만 or 급여 10% 비급여 20% 약제 8천원 or 급여 10% 비급여 20% 3대비급여 2만 or 30%	입원 10% (연간 자부담 200만원 한도) 외래 1~2만, 약제 8천원
	선택 급여 90% 비급여 80%	선택 급여 90% 비급여 80% 비급여3대 70%	선택 급여 80% 비급여 70%
	275일 이후 90일, 275일 이내 365일	275일 이후 90일, 275일 이내 365일 비급여 특약 한도/횟수 제한	보험료차등제
	상급병실 차액 50% (1일 10만 한도)	상급병실 차액 50% (1일 10만 한도)	상급병실 차액 50% (1일 10만 한도)
	입원 최대 5천만 통원 최대 30만	입원 최대 5천만 통원 최대 30만 비급여 3대 도수치료 350만 (50회) 비급여주사 250만 (50회) MRI 300만	입원 최대 5천만 통원 최대 20만 비급여 3대 좌동 도수, 주사 비급여 10회 효과 확인 후 50회 한도

보상 전문가가 알려 주는 실손 의료비

• 실손의료비 변천사(보상하지 않는 손해)

	03년 10월	09년 8~10월	13년 1~4월
	1세대	2세대	
구분	표준화 이전	표준화 I	표준화 II
치매	X	O	O
치질	X	O(급여)	O(급여)
한방병원	△(입원O,통원X)	O(급여)	O(급여)
치과	△(상해O,질병X)	O(급여)	O(급여)
정신과	X	△(F00-03보장)	△(F00-03보장)
해외치료	O(40%)	X	X
자의입원	O(40%)	O(40%)	O(40%)
백내장	O	O	O
불임관련질환	X	X	X
피부질환	X	X	X
선천성기형	X	O(선천뇌질환 면책)	O(선천뇌질환 면책)

	16년 1월	17년 4월	21년 7월
	2세대	**3세대**	**4세대**
	표준화 III	착한실손	-
	O	O	O
	O(급여)	O(급여)	O(급여)
	O(급여)	O(급여)	O(급여)
	O(급여)	O(급여)	O(급여)
	O(일부 F코드 제외)	O(일부 F코드 제외)	O(일부 F코드 제외)
	X	X	X
	X	X	X
	X	X	X
	X	X	O(급여)
	X	X	O(급여)
	O(선천뇌질환 면책)	O(선천뇌질환 면책)	O(선천뇌질환 보상)

03

보상 전문가가 알려 주는

암 보장

암 보험 용어

● **일반암** 소액암/유사암을 제외한 암

● **소액암** 생명보험사에서 주로 판매하며 일반암 보험금 대비
보험금을 일부만 지급하거나 특약을 별도분리하여 보장

 자궁암
자궁경부암,자궁체부암,
자궁내막암 등

 유방암
여성에게 가장 쉽게
발생하는 암으로
다른 장기로 전이가 쉬움

 방광암
주로 6070세대 남성
방광에 발생하는
악성종양

 전립선암
서양 남성에게
가장 흔한 악성 종양으로
동양 남성 발병률도 증가중

● **유사암** 손해보험사에서 주로 판매하며 일반암 보험금 대비
보험금을 일부만 지급하거나 특약을 별도분리하여 보장

 갑상선암
갑상선에 생기는
악성종양으로 여성에게
매우 흔함

 기타피부암
여성에게 가장 쉽게
발생하는 암으로
다른 장기로 전이가 쉬움

 경계성종양
양성과 악성
두 가지 특성을
모두 가지는
예외적인 경우

 제자리(상피내)암
암세포가 상피 내에
국한되어 비정상적인
증식을 일으킨 경우

*보험사 상품별로 기준이 상이할 수 있으며
해당 내용은 일반적으로 적용되는 기준으로 설명되었습니다

● 고액암

암 중에서도 고액의 치료비가 드는 암으로
일반암 진단비에서도 보장

3대 고액암　뇌.중추신경계/뼈.관절연골/림프.혈액 (백혈병 포함)

5대 고액암　3대 고액암 + 식도/췌장

10대 고액암　5대 고액암 + 간.간내담관/담낭/담도/기관/기관지.폐

● 암의 진행 병기

T+N+M을 평가해서 1기부터 4기까지의 진행 병기를 결정

분류 기준	분류	내용
종양의 상태	T1	종양(암세포)가 점막하층까지만 있다.
	T2	종양이 근육층까지 파고들었다.
	T3	종양이 근육층을 뚫고 장막하층까지 파고들었다.
	T4	종양이 장막층을 뚫고 주변 장기의 세포까지 파고들었다.
림프관 전이 정도	N0	림프절에 암세포의 전이가 없다.
	N1	림프절에 1~3개의 암세포 전이가 있다.
	N2	림프절에 4개 이상의 암세포 전이가 있다.
원격 전이 정도	M0	다른 장기로 전이되지 않았다.
	M1	다른 장기로 전이되었다.

- 1기 - 처음 생긴 부위의 암세포가 주변 조직을 조금씩 파고들기 시작했다는 뜻
- 2기 - 암이 원발부위에 국한되어 있거나 침범 범위가 큰 경우
- 3기 - 림프절 전이가 있거나 이웃 장기를 침범한 경우
- 4기 - 원격 전이가 있는 경우

※보험사 상품별의 기준의 상이할 수 있으며
해당 내용은 일반적으로 적용되는 기준으로 설명하였습니다.

암 진단 기준

? CT 검사를 했는데 암 의심 소견을 받았습니다. 암 보험금 수령이 가능한가요?

보험에서 암 진단 기준은 **병리학적 기준을 적용**합니다. CT 검사는 **임상학적 기준**으로 암 진단비 지급 기준이 되지 않습니다. 단, 병리학적 진단을 내릴 수 없는 경우에는 한시적으로 암 진단 기준을 적용하는 경우도 있습니다.

암의 진단 방법

의사의 진찰

핵의학검사

영상진단검사

종양표지자검사

내시경검사

조직·세포병리검사

출처 : 국가암정보센터

● Check Point

V 암의 확진과 진행상태의 결정은
여러 가지 검사들을 종합하여 진단하게 됩니다.
의사의 진찰, 조직검사, 세포검사, 내시경검사, 종양표지자검사,
영상진단검사, 핵의학검사 등이 있습니다.
하나의 검사로 암이 확진되고 병기를 결정할 수 있는 방법은
아직까지 없기 때문에 암의 진단은 여러 검사를
복합적으로 실시하여 의사의 종합적 판단으로 결정됩니다.

V 보험사는 암 진단 확정 기준을 병리학적 진단을 원칙으로 하고
병리학적 진단이 불가한 경우에만 임상학적 진단을 인정합니다.

임상학적 진단	병리학적 진단
MRI,CT,X-RAY 의사 소견 등	조직검사, 미세흡인 세포검사, 혈액검사 등 악성,양성,경계성종양 등을 평가

V 진단비 기준 지급일은 조직 검사를 한 날이 아닌
조직 검사 결과가 나온 날 입니다.

V 조직 검사 결과지에 의심소견, 추정소견 등의 문구가 포함될 시
보험금 지급이 지연되거나 거절될 수 있습니다.

암 진단 확정 기준에 대한 보험 약관의 정의

"암"의 진단확정은 「의료법」 제3조(의료기관) 제2항(【부록】 참조)에서 규정한 국내의 병원, 의원 또
는 국외의 의료관련법에서 정한 의료기관의 병리과 또는 진단검사의학과 전문의 자격증을 가진 자에
의하여 내려져야 하며, 이 진단은 조직(fixed tissue)검사, 미세바늘흡인검사(fine needle aspiration
biopsy) 또는 혈액(hemic system)검사에 대한 현미경소견을 기초로 하여야 합니다. 그러나 상기에
의한 진단이 가능하지 않을 때에는 피보험자가 "암"으로 진단 또는 치료를 받고 있음을 증명할 만한
문서화된 기록 또는 증거가 있어야 합니다.

*본 내용은 각각의 일부 내용을 발췌한 것으로 가입하신 상품에
따른 보장 관련 내용은 해당 상품 약관을 참고하시기 바랍니다

암 면책 기간

 암 보험 가입한지 얼마 안되었는데
암 진단을 받았어요.
암 보험금 수령이 가능한가요?

암 보장 가입시 상품별로
면책기간과 감액기간이 발생합니다.
면책기간 이내 진단시 **보상이 불가**하며
감액기간 중에는 **진단금의 일부만 지급**됩니다.

암 진단비 종류

유사암
갑상선암.기타피부암.
경계성종양.제자리(상피내)암

소액암
자궁암.유방암.
방광암.전립선암

일반암
유사암과 소액암을 제외한 암

*보험사 상품별로 기준이 상이할 수 있습니다

● Check Point

V 일반적으로 일반암은 계약일로부터 90일간 면책기간이 적용되며
유사암은 면책기간이 없습니다.

	면책기간	감액기간
일반암	90일	1년 미만 진단시 50%
소액암	90일	없음 or 1년 미만 진단시 50%
유사암	X	없음 or 1년 미만 진단시 50%

•보험사 상품별로 기준이 상이할 수 있으니 해당 상품 약관을 꼭 참조하시길 바랍니다.

면책기간	보험 가입 후 보상이 되지 않는 기간
감액기간	보험금 지급 사유가 발생하더라도 보장 금액을 전부 지급하지 아니하고 감액하여 지급하는 기간

[암 진단비(유사암제외) 보장개시일 예시]

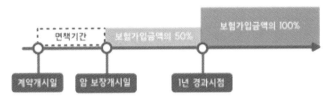

•보험사 상품별로 기준이 상이할 수 있으며
해당 내용은 일반적으로 적용되는 기준으로 설명되었습니다

재발암 보상 기준

 위암 진단 후 위암 재진단을 받았습니다.
암 보험금 수령이 가능한가요?

일반암 진단비에서는 재발한 암에 대하여
보상이 불가할 수 있습니다.
재진단암 진단비 또는 두번째암 진단비 특약으로
보상이 가능한지 확인하셔야합니다.

암 재발률 TOP5

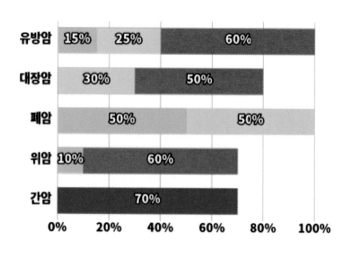

■ 1기 ■ 2기 ■ 3기 ■ 5년재발률

유방암: 15% 25% 60%
대장암: 30% 50%
폐암: 50% 50%
위암: 10% 60%
간암: 70%

0%   20%   40%   60%   80%   100%

● Check Point

✔ 일반암 진단비는 재발암에 대해서는 보상이 불가할 수 있습니다.

✔ 재발암에 대하여 보상받기를 원하신다면
이차암이나 두번째 암. 재진단암 진단비 등을 가입하셔야합니다.

*보험사 상품별로 기준이 상이할 수 있으니 해당 상품 약관을 꼭 참조하시길 바랍니다.

[진단비 특약별 보상 여부]

	이차암 진단비	두번째암 진단비	재진단암 진단비
원발암	O	O	O
전이암	O	O	O
재발암		O	
잔류암			O

[두번째 암 개념]

원발암	암이 처음 시작한 기관(장기)의암
전이암	원발 부위에서 전이되어 다른 장기로 퍼진 암
재발암	종양치료 후 동일형의 종양이 다시 같은 부위에 발현되거나 다른 기관에 발생하는 경우

*보험사 상품별로 기준이 상이할 수 있으며
해당 대용은 일반적으로 적용되는 기준으로 설명하였습니다.

보험의 모든 것

04

보상 전문가가 알려 주는

혈관 질환 보장

2대 질환 (뇌 / 심장)

● 뇌혈관질환

뇌경색

뇌혈관이 막히게 되어 뇌에 공급되는
혈액량이 감소하면 뇌조직이 제기능을 못하게 되며
뇌혈류 감소가 일정 시간 이상 지속되면
뇌조직이 괴사되어 회복 불가능한 상태가 된다.
이를 뇌경색이라고 한다.

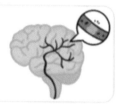

뇌출혈

두개강 내 뇌조직에 혈액을 공급하는 혈관이 파열되어
혈액이 뇌조직으로 새어 나가는 질병으로
두개 내에 출혈이 있어 생기는
모든 변화를 말하는 것으로
출혈성 뇌졸중이라고도 한다.

뇌동맥류

뇌혈관 벽에 미세한 균열이 생기고
풍선처럼 비정상적으로 부풀어오르게 되는
혈관 질환으로 파열되게 될시
뇌출혈이 발생할 확률이 크다.

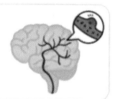

● 뇌혈관질환 발생 기전

전조질환	뇌혈관	뇌졸중
고혈압, 고지혈, 당뇨병 등 성인병	→ 뇌동맥류(I67~68) 뇌동맥 폐쇄/협착 (I65-66)	→ 뇌출혈(I60-62) 뇌경색(I63) 뇌출혈.뇌경색으로 분류 되지 않는 뇌졸중(I64)

● 심장질환

허혈성

협심증(I20)

급성심근경색
(I21)

심장세동

부정맥(I47~49)

노화

심부전(I50)

류마티스성심장질환 등
(I00~02,I05~09)

염증

급성심근염(I40)

폐색전증 등(I26)

심낭염(I30~31),심근염(I40~41)

선천이상

1. 폐동맥협착
2. 대동맥기승
3. 심실중격결손
4. 우심실비대

팔로4징후(Q21.3)

기타

1. 폐동맥판막
2. 삼첨판막
3. 대동맥판막
4. 승모판막(이첨판막)

심장판막증(I39)

심근병증(I42)

※ 심장질환은 허혈성/노화/염증/부정맥/선천이상/기타 등의 이유로 발생합니다.

중대한 뇌졸중 보상

? 뇌졸중 진단을 받았는데 가입되어있는 CI보험에서 보상받지 못했습니다. 왜 그런거죠?

CI보험은 약관상 **'중대한 뇌졸중'**의 정의에 부합해야 보상이 가능한 상품입니다. **'중대한 뇌졸중'**의 정의에 부합하지 않을 경우 보상이 거절될 수 있습니다.

CI보험

보험 기간 중에 중대한 질병/중대한 수술/중대한 화상을 입은 경우 사망보험금의 일부를 선지급 해주는 상품

중대한 질병	중대한 수술	중대한 화상
중대한 3대 질병, 말기신부전증, 말기폐/간질환, 중증재생불량성빈혈 등	관상동맥우회술, 대동맥인조혈관치환, 심장판막개심술, 5대장기이식수술 등	신체 표면의 최소 20% 이상의 3도 화상 또는 부식을 입은 경우

*보험사 상품별로 기준이 상이할 수 있으니 해당 상품 약관을 꼭 참조하시길 바랍니다.

● 중대한 뇌졸중 진단비 보상 기준

✓ 중대한 뇌졸중 진단비를 보상 받기 위해서는
영구적인 신경학적 결손이 발견되어야 합니다.
(후유장해율 25%이상 진단)

	건강보험	CI보험
(중대한) 뇌졸중	뇌의 혈액순환장애에 의하여 일어나는 급격한 의식장애와 운동마비를 수반하는 증상	거미막밑출혈,뇌내출혈, 기타 비외상성 머리내 출혈, 뇌경색이 발생하여 뇌혈액순환의 급격한 차단이 생겨서 그 결과 영구적인 신경학적 결손이 나타나는 질병

[뇌졸중의 증상과 후유증]

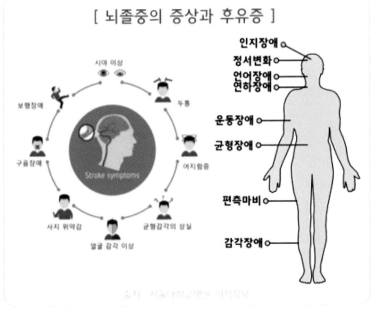

출처 : 서울대학교병원 의학정보

•보험사 상품별로 기준이 상이할 수 있으며
해당 내용은 일반적으로 적용되는 기준으로 설명되었습니다.

중대한 심근경색 보상

 심장이 아파 응급실에 갔더니
급성심근경색 진단을 받았는데요.
CI보험에서 보상이 가능할까요?

CI보험은 약관상 **'중대한 심근경색'**의 정의에 부합해야
보상이 가능한 상품입니다.
'중대한 심근경색'의 정의에 부합하지 않을 경우
보상이 거절될 수 있습니다.

중대한 심근경색 보상 기준

"중대한 급성심근경색"이라 함은 관상동맥의 폐색으로 말미암아
심근으로의 혈액공급이 급격히 감소되어 해당 심근조직의
비가역적인 괴사를 가져오는 질병으로서 발병 당시 다음의
3가지 특징을 모두 보여야합니다.

- 의사가 작성한 진료기록부상 전형적인 흉통의 존재

- 전형적인 급성심근경색 심전도 변화
  (ST분절.T파.Q파)가 새롭게 출현

- CK-MB를 포함한 심근효소의 발병당시 새롭게 상승
  여기서 상승이라 함은 CK-MB 정상범위 최고치의
  2배 이상 상승한 경우를 말함
  (단. Troponin은 CK-MB와 함께 심근효소의 상승을
  보여주는 자료로 제시될 수는 있으나
  CK-MB 없이 Troponin 단독으로는 인정하지 않음)

*보험사 상품별로 기준이 상이할 수 있으니 해당 상품 약관을 꼭 참조하시길 바랍니다.

● 급성심근경색증 분류

질병명	질병분류번호
급성심근경색증	I21
후속심근경색증	I22
급성심근경색증 후 특정 현존 합병증	I23

V 특별한 전조증상 없이 갑자기 아픈 경우
보다 빠른 치료가 가장 중요합니다.
한국인 사망 원인 2위 급성심근경색증.
걸리면 치명적인 매우 무서운 질병입니다.

V 어느날 갑자기 발생하는 경우가 많지만
이전부터 앓고 있던 고혈압.당뇨.고지혈증 등의 만성 질환이나
흡연.음주.비만 등의 생활습관과 관련이 깊습니다.

중대한 심근경색 보상 제외 기준

● 안정협심증. 불안정협심증. 이형협심증을 포함한
모든 종류의 협심증은 보장에서 제외합니다.

● 하나의 특징만을 가지고 있는 경우 보장에서 제외합니다.
예를들면 혈액 중 심장효소검사만으로 "급성심근경색증" 진단을
내린다든지 심전도검사 만으로 "급성심근경색증" 진단을
내리는 경우는 보장에서 제외합니다.

● 또한 상기 보상 기준을 기초로 하지 않고 심초음파 검사나
핵의학검사. 자기공명영상. 양전자방출단층촬영술 등을 기초로
"급성심근경색증" 진단을 내리는 경우도 보장에서 제외하며
상기 보상 기준을 기초로 하지 않고 진단된
심근의 미세경색이나 작은손상은 보장에서 제외합니다.

•보험사 상품별로 기준이 상이할 수 있으니 해당 상품 약관을 꼭 참조하시길 바랍니다.

•보험사 상품별로 기준이 상이할 수 있으며
해당 내용은 일반적으로 적용되는 기준으로 설명되었습니다.

협심증 보상

 협심증 진단을 받았는데 급성 심근경색 진단비만 가입이 되어있다고 보상이 거절되었습니다. 왜 보상이 안되는거죠?

협심증은 급성심근경색중 진단비에서 보상이 불가하며 허혈성심장질환 또는 심혈관질환 진단비 가입이 되어있을 경우에만 보상받을 수 있습니다.

협심증 종류와 허혈성심장질환 보장 범위

안정형
협심증

불안정형
협심증

변이형
협심증

※ 허혈성심장질환 진단비는 협심증. 허혈성심장질환뿐만 아니라
급성심근경색증 진단시에도 보장합니다.

질병명	질병분류번호
협심증	I20
급성심근경색증	I21
후속심근경색증	I22
급성심근경색증 후 특정 현존 합병증	I23
기타 급성 허혈성심장질환	I24
만성허혈성심장병	I25

*보험사 상품별로 기준이 상이할 수 있으니 해당 상품 약관을 꼭 참조하시길 바랍니다.

● 협심증 보상 기준

V 협심증은 급성심근경색 진단비로 보상이 되지 않으며
허혈성심장질환 또는 **심혈관질환** 진단비로 보상이 가능합니다.
최근들어 일부 보험사에서 협심증 진단을 받더라도 협착률에
따라 보험금 지급을 거절하는 경우가 발생하고 있습니다.

지급 거절 사유	지급 거절 이유
- 혈관 50% 미만 협착 - 변이형 협심증	50% 미만 협착률이거나 변이형인 경우 일부 보험사에서 협심증 확진이라 보기 어렵다고 주장

[보상 Tip]

- **작성자 불이익 원칙 주장**
약관상 협착률에 따른 진단비 지급 기준이 명확하지 않으므로
약관 해석은 고객에게 유리하게 해석해야 한다.

- **협심증 확진 판정**
진단비 지급 기준은 검사결과를 토대로한 의사의 확정진단이
있어야하기 때문에 추가적인 검사로 확정 진단을 받는다.

- **전문 손해사정사 선임**

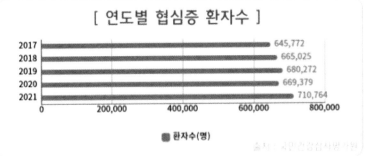

[연도별 협심증 환자수]

연도	환자수
2017	645,772
2018	665,025
2019	680,272
2020	669,379
2021	710,764

■ 환자수(명)

출처 : 국민건강심사평가원

·보험사 상품별로 기준이 상이할 수 있으며
해당 내용은 일반적으로 적용되는 기준으로 설명하였습니다.

외상성 뇌출혈 보상

교통사고로 뇌출혈 진단을 받았는데 뇌출혈 진단비 보상이 가능한가요?

뇌출혈 진단비는 질병이 원인인 경우에만 보상하며 외부적인 요인으로 인한 뇌출혈 진단시에는 보상이 불가합니다.

뇌출혈 종류

출혈이 발생하는 위치에 따라 뇌출혈 분류

뇌출혈 >>>

경막외출혈 - 두개골과 경막 사이에 피가 고여 뇌를 압박한 상태

경막하출혈 - 경막과 지주막 사이에서 출혈 발생 외상에 의한 원인이 대부분

지주막하출혈 - 지주막과 연막 사이에서 출혈 환자의 65%는 뇌동맥 파열

뇌내출혈 - 뇌실질에 출혈이 일어난 상태 고혈압, 당뇨, 음주, 폐경 등으로 인해 발생

뇌실내출혈 - 뇌실에서 발생 뇌척수액이 흐르는 공간에 출혈 동반

이미지출처 · 명지성모병원

● 외상성 뇌출혈 보상 기준

✓ 뇌출혈 진단시 질병이 원인일 경우 질병분류코드 I코드가 적용되며 교통사고 등 외상성으로 인한 뇌출혈 발생시에는 상해분류코드 S코드가 적용이 됩니다. (질병 뇌출혈진단비는 I코드만 보상)

[외상성 경막 출혈 종류]

경막하출혈(S05.6)	경막상출혈(S06.4)
뇌와 경막 사이에 혈관이 파열되어 혈종이 쌓여 뇌를 압박하는 상태	경막외출혈(혈종)이라고도 하며 두개골과 경막 사이에 혈관이 파열되어 혈종이 쌓인 상태

✓ 경막출혈은 강한 외상으로 인해 발생하기때문에 해당 사고로 인한 후유장해 발생시 장해평가를 통해 후유장해 진단비 가입시에도 보상받을 수 있습니다.

[외상성 경막 출혈 종류]

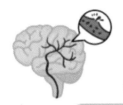  

| 비외상성 | 외상성 |

뇌동맥류
뇌혈관의 일부가
비정상적으로 부풀다
터지며 발생

고혈압성 뇌출혈
고혈압으로 인하여
뇌 안의 혈관들이
터지며 발생

외부 요인
낙상이나 교통사고 등
외부적인 충격으로 인한
두부외상으로 발생

부정맥 보상

 심장이 두근거려 검사를 받았더니
부정맥이라고 하는데 허혈성심장질환
진단비에서 보상이 가능한가요?

허혈성심장질환 진단비에서는 부정맥 보상이 불가하며
부정맥 보상이 가능한 심혈관진단비에서
보상 하고 있습니다.

부정맥종류

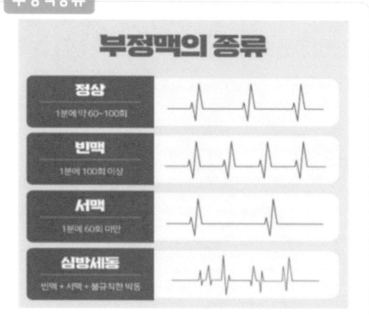

부정맥의 종류

정상	
1분에 약 60~100회	
빈맥	
1분에 100회 이상	
서맥	
1분에 60회 미만	
심방세동	
빈맥 + 서맥 + 불규칙한 박동	

이미지출처 : 명지성모병원

● 부정맥 보상 기준

V 부정맥 진단금을 받기 위해서는 별도의
(특정)심혈관질환 진단비 특약이 가입이 되어있어야 합니다.

심혈관질환

I46 인공소생에 성공한 심정지
I47 발작성 빈맥
I48 심방세동 및 조동
I49 기타 심장부정맥
I50 심부전

허혈성심장질환

I20 협심증
I24 기타급성허혈성심장질환
I25 만성허혈성심장질환

급성심근경색

I21 급성심근경색증
I22 후속심근경색증
I23 급성심근경색에 의한 특정 현존 합병증

*보험사 상품별로 기준이 상이할 수 있으니 해당 상품 약관을 꼭 참조하시길 바랍니다.

[부정맥 환자 중 I49 환자수 및 구성비]

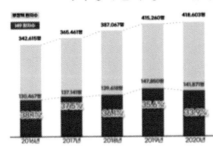

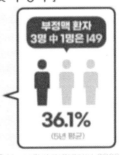

부정맥 환자
3명 中 1명은 I49

36.1%
(5년 평균)

출처 : 보건의료빅데이터 2020

기타 뇌경색증 보상

 기타 뇌경색증 진단 받았는데
뇌졸중 진단비만 보유중입니다.
보상 받을 수 있을까요?

기타 뇌경색증은 뇌졸중 진단비 포함이 되지만
최근 일부 보험사에서 부지급이 늘어나고 있습니다.

기타뇌경색

뇌혈관질환

I64 출혈 또는 경색증으로 명시되지 않은 뇌중풍
I67 기타 뇌혈관질환
I68 달리 분류된 질환의 뇌혈관장애
I69 뇌혈관질환의 후유증

뇌졸중

I63 뇌경색증
I65 뇌전동맥의 폐색 및 협착
I66 대뇌동맥의 폐색 및 협착

뇌출혈

I60 지주막하출혈
I61 뇌내출혈
I62 기타 비외상성 두개내 출혈

뇌졸중은 **혈관이 막히는 뇌경색**, **혈관이 터지는 뇌출혈**로 인하여
사망이나 뇌 손상으로 신체장애를 일으키는 질병으로
뇌졸중 진단비 보상대상이 되나 기타 뇌경색은 I63으로 볼지
I67, I69로 볼지에 따라서 보상여부가 달라질 수 있습니다.

*보험사 상품별로 기준이 상이할 수 있으니 해당 상품 약관을 꼭 참조하시길 바랍니다.

● 기타 뇌경색증 보상 기준

V 최근 일부 보험사에서 뇌경색이 아닌 **뇌경색 후유증 및 발작으**
로 볼 수 있다는 주장으로 지급을 거절하고 있습니다.

지급 거절 사유	지급 거절 이유
- 만성뇌경색증(I67,8) - 뇌혈관질환의 후유증(I69) - 뇌허혈발작(G45)	뇌조직에 경색이 발생하긴 하였으나 발병 위치가 즉각적으로 이상상태가 발생할 부위가 아니거나 일정기간이 지난 후 다른 이유로 발생하여 뇌졸중이 아닌 후유증이나 발작이라는 주장

[보상 Tip]

- **작성자 불이익 원칙 주장**
  만성 뇌경색증도 뇌경색이 아니라는 내용이 약관상 기재되어
  있지 않았다면 약관 해석은 고객에게 유리하게 해석해야 한다.

- **기타 뇌경색증 판단**
  주치의가 기타 뇌경색으로 볼 수 있다는 타당한 소견서 작성

- **전문 손해사정사 선임**

[뇌졸중 환자 추이]

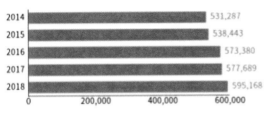

연도	환자 수
2014	531,287
2015	538,443
2016	573,380
2017	577,689
2018	595,168

[단위 (명)]
출처 : 건강보험심사평가원 보건의료빅데이터개방시스템

*보험사 상품별로 기준이 상이할 수 있으며
해당 내용은 일반적으로 적용되는 기준으로 설명되었습니다

산정특례진단비

뇌혈관질환.심장질환으로 산정특례대상으로 **등록**된 경우 가입금액을 지급하는 특약 담보

뇌혈관질환		
진단명	뇌혈관질환진단비	산정특례적용대상 여부
I60,I61,I62 (뇌출혈)	포함	포함
I63,I65,I66 (뇌경색)	포함	포함
I64, I67 (기타뇌졸중,뇌혈관)	포함	포함
I68,I69 (뇌혈관 후유증)	포함	미포함
I72.0 (경동맥의 동맥류 및 박리)	미포함	포함
I77.0 (후천성 동정맥루)	미포함	포함
Q28.0~Q28.3 (순환계통의 기타 선천기형)	미포함	포함
S06 (두개내 손상)	미포함	포함

심장질환		
진단명	심장질환진단비	산정특례적용대상 여부
I20~I25 (허혈성심장질환)	포함	포함
I30~I51 (기타 형태의 심장병)	* 일부 포함	포함
I15.1 (심장의 양성 신생물)	포함	포함
I01 심장침범이 있는 류마티스열)	포함	미포함
I05~I09 (만성 류마티스 심장질환)	포함	미포함
I26,I28 (폐성 심장병 및 폐순환의 질환)	미포함	포함
I70.0 (대동맥류의 죽상경화증)	미포함	포함
I79.0,I79.1 (달리 분류된 질환에서의 동맥, 세동맥 및 모세혈관의 장애)	미포함	포함
M31.4 (대동맥궁 증후군)	미포함	포함
Q20~Q25 (순환계통의 선천기형)	미포함	포함
Q26 (대정맥혈관의 선천기형)	미포함	포함
S25-S26 (흉부혈관의 손상,심장의 손상)	미포함	포함

- I30,31,32,33,38,40,41,47,48,49,50 포함
  (심장악염,심내막염,급성심근염,발작성빈맥,심방세동및조동,기타부정맥,심부전 등)

	심뇌혈관진단비	산정특례진단비
보장횟수	최초 1회(단일보상)	연간 1회(반복 보상)

뇌혈관질환 산정특례진단비 보상기준

- ✓ 약관에서 정한 뇌혈관질환 진단을 받아야 함
- ✓ 수술을 받은 경우
- ✓ 최대 30일 이내

질병명 (질병코드)

1. 뇌혈관질환 (i60~i67)
2. 경동맥의 동맥류 및 박리 (i72.0)
3. 후천성 동정맥루 (i77.0)
4. 순환계통의 기타 선천기형 (Q28.0~Q.28.3)
5. 두개내손상 (S06)

수술명 (수술코드)

1. 혈종제거를 위한 개두술 (S4621, S4622)
2. 뇌동맥류수술 (S4641, S4642)
3. 뇌동정맥기형적출술 (S4653~S4658)
4. 두개강내 혈관문합술 (S4661, S4662)
5. 단락술 또는 측로조정술 (S4711~S4715)
6. 뇌엽절제술 (S4780)
7. 뇌 기저부 수술 (S4801~S4803)
8. 중추신경계정위수술-혈종제거 (S4756)
9. 경피적풍선혈관성형술 (M6593,M6594,M6597)
10. 경피적뇌혈관약물성형술 (M6599)
11. 경피적혈관내 금속스탠트삽입술 (M6601,M6602,M6605)
12. 경피적혈전제거술 (M6630,M6632,M6635,M6636,M6637,M6639)
13. 혈관색전술 (M1661~M1667,M6644)
14. 천두술 (N0322~N0324)
15. 개두술 또는 두개절제술 (N0333)
16. 혈관내 죽종제거술 (O0226,O0227,O2066)
17. 경동결찰술 (S4670)
18. 뇌내시경수술 (S4744)
19. 뇌정위적방사선수술 (HD113~HD115)

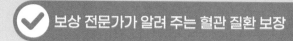
심혈관질환 산정특례진단비 보상기준 ①

- ✅ 약관에서 정한 심혈관질환 진단을 받아야 함
- ✅ 수술 또는 약제 투여 받은 경우
- ✅ 최대 30일 이내

질병명 (질병코드)

1. 심장의 양성 신생물 (D15.1) 2. 심장 침범이 있는 류마티스열 (I01)
3. 만성 류마티스심장질환 (I05~I09) 4. 허혈심장질환 (I20~I25)
5. 폐성 심장병 및 폐순환의 질환 (I26,I28) 6. 기타 형태의 심장병 (I30~I51)
7. 대동맥의 죽상경화증 (I70.0) 8. 대동맥동맥류 및 박리 (I71)
9. 달리 분류된 질환에서의 동맥, 세동맥 및 모세혈관의 장애 (I79.0,I79.1)
10. 대동맥궁증후군(다까야수) (M31.4) 11. 순환계통의 선천기형 (Q20~Q25)
12. 대정맥혈관의 선천기형 (Q26.0~Q26.4,Q26.8,Q26.9)
13. 흉부혈관의 손상,심장의 손상 (S25,S26)

수술명 (수술코드)

가. 동맥관 우회로 조성술
(OA640~OA641, OA647~OA649, O1640~O1641, O1643~O1649)
나. 심장 창상봉합술(O1660) 다. 동맥관개존폐쇄술(O1671, O1672)
라. 대동맥축착증수술(O1680) 마. 폐쇄식 승모판 교련 절개술(O1690)
바. 심혈관단락술(O1701, O1702) 사. 폐동맥결찰술(O1703, O1704)
아. 심방중격결손조성술(O1705)
자. 심방, 심실중격손증수술(O1710, O1711, O1721~O1723)
차. 판막협착증수술(O1730, O1740, O1750, O1760)
카. 심방중격결손증 겸 폐동맥판협착증수술(O1770)
타. 판막성형술(O1781~O1783)
파. 인공판막치환술(O1791~O1793, O1797)
하. 인공판막재치환술(O1794~O1796, O1798)
거. 비봉합 대동맥판막치환술(O1799) 너. 활로씨 4 증후군 근본수술(O1800)
더. 심실중격결손증 겸 폐동맥판협착증수술(O1810)
러. 심내막상결손증 수술(O1821, O1822) 머. 좌심실류절제술(O1823)
버. 좌심실용적축소성형술(O1824)
서. 좌심실, 우심실 유출로 성형술(O1825, O1826)
어. 관상동맥 내막절제술(O1830) 저. 발살바동 동맥류파열수술(O1840)
처. 동정맥기형교정술(O1841)

60

심혈관질환 산정특례진단비 보상기준 ②

수술명 (수술코드)

커. 기타 복잡기형에 대한 심장수술 (01851, 01852)
터. 좌우폐동맥 성형술(01861) 퍼. 기능적 단심실증 교정술(01873, 018
허. 라스텔리씨수술(01875) 고. 총 폐정맥 환류이상증 수술(01878)
노. 대혈관전위증 수술(01879) 도. 심실 보조장치 치료술
(00881, 00882, 00883, 00886, 00887, 00888, 00889)
로. 인공심폐순환(01890) 모. 개흉심장마사지(01895)
보. 부분체외순환(01901~01904) 소. 국소관류(01910)
오. 대동맥내풍선펌프(01921, 01922) 조. 심낭루조성술(01931)
초. 심낭창형성술(01932, 01935) 코. 심막절제술(01940)
토. 폐동맥혈전제거술(01950) 포. 대동맥-폐동맥 창 폐쇄술(01960)
호. 심내이물제거술(01970) 구. 심장종양제거술(01981, 01982)
누. 심박기거치술(02001, 02004, 02005, 00203~00210)
두. 부정맥수술(02006, 02007)
루. 심율동전환 제세동기거치술(00211, 00212, 02211, 02212)
무. 동맥류 절제술(02021, 02022, 02031~02033)
부. 경피적 동맥관개존 폐쇄술(M6510)
수. 경피적 심방중격결손폐쇄술(OZ751)
우. 경피적 근성부 심실중격결손 폐쇄술(M6513)
주. 경피적 심방중격결손개술(M6521, M6522)
추. 경피적 심장 판막성형술(M6531~M6533)
쿠. 부정맥의 고주파절제술(M6541~M6543, M6546~M6548, M6550
및 냉각절제술(M0651, M0652)
투. 경피적 관상동맥확장술(M6551, M6552, M6553, M6554)
푸. 경피적 관상동맥스텐트삽입술(M6561~M6564, M6565~M6567)
후. 경피적 관상동맥죽상반절제술(M6571, M6572)
그. 경피적 대동맥판삽입(M6580, M6581, M6582)
느. 경피적 폐동맥판 삽입술(M6585)
드. 경피적 풍선혈관성형술(M6595~M6597)
르. 경피적 혈관내 금속스텐트삽입술(M6603~M6605)
므. 경피적 혈관내 스텐트-이식설치술(M6611~M6613)
브. 경피적 혈관내 죽종제거술(M6620)
ㅅ. 경피적 혈전제거술(M6632, M6634, M6638, M6639)

보험의 모든 것

05

보상 전문가가 알려 주는

수술비

수술비특약

● 수술비를 보장하는 특약

질병수술비

보장 범위가 넓지만 선천 질환.임신출산 관련.정신장애.비만.요실금 등
일부 수술의 경우 면책사항으로 보험금 지급이 어렵습니다.

종수술비
(1-3종.1-5종.1-7종)

주로 생명보험사에서 판매했지만
최근에는 손해보험사에서도
주력으로 판매하고 있으며
N대수술비 대비 보장범위가
넓은 장점이 있습니다.

N대수술비
(7대.16대.64대.112대 등)

주로 손해보험사에서 판매중

특정질병수술비
심뇌혈관질환수술비 처럼
특정 수술을 받았을 경우
보험금 지급

● 종 수술비 & N대수술비

	종수술비	N대수술비
지급기준	수술 방법에 따라	부여받은 질병분류코드에 따라
특징	관혈/비관혈인지에 따라 보험금 차이가 발생할 수 있음	관혈/비관혈 구분 없이 보장
보장범위	넓음	특정 질병만 보장

* 종수술비에 대한 기준은 1-3종.1-5종 수술비 기준으로 정리하였습니다.

연령별 다빈도수술

● 연령대별 상위 5개 수술 빈도

	1위	2위	3위	4위	5위
전체	백내장수술	일반척추수술	치핵수술	제왕절개수술	담낭절제술
9세이하	서혜및대퇴허니아수술	편도절제술	충수절제술	심장수술	순열및구개열수술
10대	충수절제술	편도절제술	치핵수술	내시경하부비동수술	일반척추수술
20대	제왕절개수술	치핵수술	충수절제술	편도절제술	유방절제술
30대	제왕절개수술	치핵수술	충수절제술	담낭절제술	갑상선수술
40대	치핵수술	백내장수술	자궁절제술	담낭절제술	일반척추수술
50대	백내장수술	치핵수술	일반척추수술	담낭절제술	스텐트삽입술
60대	백내장수술	일반척추수술	치핵수술	슬관절치환술	스텐트삽입술
70대	백내장수술	일반척추수술	슬관절치환술	스텐트삽입술	담낭절제술
80대이상	백내장수술	일반척추수술	내시경및경피적담도수술	고관절치환술	스텐트삽입술

출처 : 건강보험공단 2021년 주요 수술 현황

● 신체부위별 20가지 주요 수술

1위	백내장수술	11위	유방부분절제술
2위	일반척추수술	12위	갑상선수술
3위	치핵수술	13위	내시경하부비동수술
4위	제왕절개수술	14위	서혜및대퇴허니아수술
5위	담낭절제술	15위	고관절치환술
6위	충수절제술	16위	간색전술
7위	슬관절치환술	17위	편도절제술
8위	스텐트삽입술	18위	유방전절제술
9위	내시경 및 경피적담도수술	19위	정맥류 결찰 및 제거수술
10위	자궁절제술	20위	위 절제술

백내장수술비 보상

 백내장 수술을 받았는데
백내장 수술 보상이 어렵다해서요.
보상 받을 수 있을까요?

2016년 1월 이전 가입한 실손보험의 경우
백내장 다초점렌즈삽입술에 대해 보상 가능했지만
최근 의료비 과잉진료 문제로
실손의료비 지급은 제한적으로만 가능한 편이며
수술비 담보 가입시 보상이 가능한 편입니다.

백내장정의

정상적인 눈

백내장

투명한 수정체의 혼탁이
발생하는 질환.
시력저하.빛번짐 등의 증상

이미지출처 강산그랜드안과

백내장 수술방법

Step. 1
백내장으로 인해 시야가
흐려집니다.

① 백내장이 발생한 수정체
② 분산된 빛

Step. 2
백내장으로 혼탁이 온
수정체를 제거합니다.

① 초음파 기구
② 백내장이 발생한 수정체

Step. 3
제거한 수정체 대신
인공수정체를 삽입합니다.

① 인공수정체 삽입
② 수정체낭

Step. 4
삽입된 인공 수정체를 통해
깨끗하고 선명한 시력이
회복됩니다.

① 인공수정체가 자리잡은 모습
② 수정체낭

● 특약별 백내장 수술 보상 여부

보상여부	질병수술비	1-5종수술비	N대수술비
	O	O	△

- 백내장 수술은 1-5종수술비 특약에서 1종 수술에 해당됩니다.

● Check Point

Ⓥ 백내장 수술의 실손의료비 보상은 통원의료비 한도 내에서만 보상이 가능한 편입니다.

Ⓥ 질병수술비.종수술비.안과질환수술비.N대수술비(약관 확인 **必**)로도 보상이 가능할 수 있습니다.

*보험사 상품별로 기준이 상이할 수 있으니 해당 상품 약관을 꼭 참조하시길 바랍니다.

● 판결 사례(서울고등법원 2022.01.25 선고 2021나2013354 판결)

보험사는 백내장 치료로 시력이 개선되니 시력교정술은 보상하지 않는 손해에 해당한다고 주장하였으나 법원은 백내장 치료는 시력교정술에 해당하지 않는다고 판단하여 실손의료비 보상이 가능하나 6시간 이상 입원해서 치료하는 수술로 보지 않아 입원의료비가 아닌 통원의료비 한도 내에서 보상이 가능하다.

[연도별 인구 10만명당 백내장 수술 건수 추이]

	992	1,048	1,127	1,305	1,329
	2016	2017	2018	2019	2020

단위 (건)
출처:국민건강보험공단 2020년 주요수술 통계정보

*보험사 상품별로 기준이 상이할 수 없으며 해당 내용은 일반적으로 적용되는 기준으로 설명하였습니다.

상처봉합수술비 보상

 손이 찢어져서 응급실에서 봉합술을 했는데
상해수술비 보상 받을 수 있을까요?

피부 부위만 실로 꿰매는 창상봉합술의 경우
수술비 보상(상해수술비.종수술비 등)이 불가하며
변연절제술인 경우에는 보상이 가능합니다.

상처치료방법

자연치유
작고 가벼운 상처는
특별한 치료 없이도
회복이 가능합니다.

연고제
상처의 감염이 예상 되는
경우 염증을 억제하고
회복을 돕습니다.

습윤밴드
감염 위험이 없을 때
상처를 보호하고
회복을 돕습니다.

봉합수술
상처의 모양과
깊이가 불규칙할 때
회복을 돕기 위해
실시할 수 있습니다.

이미지출처 : 화인의원

상처수술방법

창상(단순)봉합술
피부 상처를 봉합

변연절제술
괴사나 오염된 조직을
절제 후 봉합

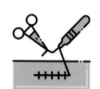

근봉합술
근육층까지 손상된
상처를 봉합

● 특약별 봉합술 보상 여부

	상해수술비	1-5종수술비	창상봉합술
창상봉합술	X	X	O
변연절제술	O	△ 단순 피부 관련은 부지급 근/건/인대 관련시 지급	O
근봉합술	O	O	O

• 상처봉합술에는 봉합부위에 따라 창상(단순)봉합술.변연절제술.근봉합술로 나뉩니다.

● Check Point

☑ 보험약관상 창상봉합술은 일반수술비 및 종수술비에서 보상하지 않습니다.

☑ 창상봉합술 특약은 보험사마다 보장범위.보장기준이 다를 수 있습니다.

*보험사 상품별로 기준이 상이할 수 있으니 해당 상품 약관을 꼭 참조하시길 바랍니다.

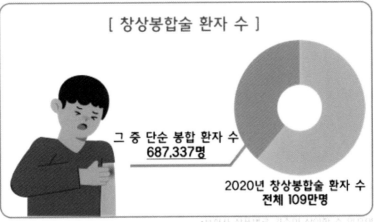

[창상봉합술 환자 수]

그 중 단순 봉합 환자 수
687,337명

2020년 창상봉합술 환자 수
전체 109만명

*보험사 창상봉합술 기준이 상이할 수 있으며
해당 내용은 일반적으로 적용되는 기준으로 설명하였습니다.

제왕절개수술비 보상

 제왕절개로 출산하였습니다.
보상 받을 수 있는 항목이 있을까요?

실손의료비는 임신·출산 관련하여 면책이지만
생보형 종수술비를 가입하셨다면
제왕절개 출산시 보상이 가능합니다.

제왕절개수술

횡 절개법
보편적인 방법. 상처가 작다.

종 절개법
수술시간 단축. 상처가 크다.

**Ⓥ 제왕절개가
필요한 경우**

☑ 35세 이상의 고령 초산모인 경우
☑ 임신중독증이 있는 경우
☑ 골반이 작거나 이상이 있어 정상적인 분만이 힘든 경우
☑ 태아의 체중이 4.0kg~4.5kg 이상인 경우
☑ 태아의 건강에 문제가 있거나 복부나 머리에 기형이 있는 경우
☑ 태아의 탯줄이 압박되기 쉬운 골반인 경우
☑ 유도분만에 실패한 경우
☑ 진통중 태아가 힘든 경우
☑ 역아인 경우

이미지출처 : 서울여성병원

● 특약별 제왕절개 보상 여부

보상여부	질병수술비	1-5종수술비	태아보험 특정수술비
	X	O	O

• 제왕절개술은 1-5종수술비에서 1종에 해당됩니다.

● Check Point

Ⓥ 보험 약관상 임신 관련 수술비는 실손의료비 및 질병수술비에서 보상하지 않습니다.

Ⓥ 생보형 종수술비에 가입되어있으면 보상이 가능합니다.

•보험사 상품별로 기준이 상이할 수 있으니 해당 상품 약관을 꼭 참조하시길 바랍니다.

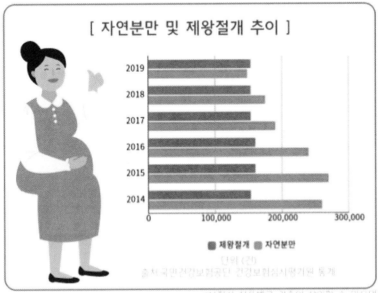

[자연분만 및 제왕절개 추이]

■ 제왕절개 ● 자연분만

단위 (건)
출처 국민건강보험공단 건강보험심사평가원 통계

•보험사 상품별로 기준이 상이할 수 있으며
해당 내용은 일반적으로 적용되는 기준으로 설명되었습니다.

무지외반증수술비 보상

 무지외반증때문에 수술을 받으려합니다.
수술비 보상이 가능한가요?

무지외반증 치료를 위해 최초로 핀을 삽입하는 수술시
보상이 가능하며 핀 제거 수술시에는 보험사별
면책기간에 따라 보상여부가 달라질 수 있습니다.

무지외반증

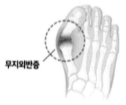

무지외반증

엄지발가락이 정상범위를 넘어서 휘고
엄지발가락쪽의 관절면이 튀어나온 상태

무지외반증의 단계별 증상

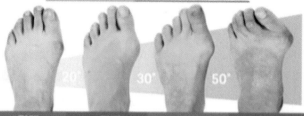

1단계	2단계	3단계	4단계
외관상 변화가 심하지 않지만 엄지발가락 관절 부분이 빨갛다.	외관상 변화가 확인되고, 때때로 통증이 있다.	관절의 돌출이 뚜렷하고 통증이 자주 나타난다.	다른 발가락까지 영향을 줄 정도로 휘어있고, 지속적인 통증으로 일상생활에 지장이 있다.

이미지출처 : CM병원

● 특약별 무지외반증 수술 보상 여부

보상여부	질병수술비	1-5종수술비	N대질병수술비
	△	O	상품별 약관참조

* 1-5종수술비에서는 보통 1종에 해당되며 경우에 따라 2종으로 분류

● Check Point

Ⓥ 무지외반증 수술시 최초 핀을 삽입하는 수술은 보상이 가능하며 핀 제거에 대해서는 면책기간을 산정하여 보상여부가 달라집니다.

① 2009년 8월 이전 가입	② 2009년 8월 ~ 2014년 3월 가입
골절 수술 후 365일(1년)이 지나면 보상 불가	최초 입원일로부터 365일 한도로 보장 (90일 지난 후 다시 보장 가능)

④ 2016년 1월 이후 가입	③ 2014년 4월 ~ 2015년 12월 가입
실비보상한도 소진시까지 보상	퇴원일로부터 180일 이후 보상 가능

*보험사 상품별로 기준이 상이할 수 있으니 해당 상품 약관을 꼭 참조하시길 바랍니다.

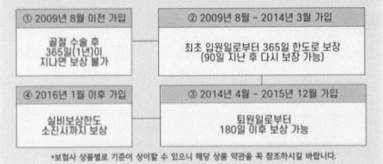

[무지외반증 관련 통계]

환자수 61,554명

청구건수 16,557명

입원/통원 기간
10일 발목 인대파열
11일 회전근개 파열
13일 무지 외반증

1건당 치료비용 408만원

하지정맥류수술비 보상

 하지정맥류 수술을 받았는데
보상이 가능한 항목이 있나요?

2016년 이후 가입한 보험의 경우
하지정맥류 치료 목적의 수술은
질병수술비, 실손의료비 보상이 가능합니다.

하지정맥류

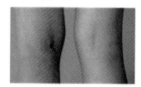

우리 몸속 정맥혈관에 흐르는 피가
심장 반대방향으로 역류하면서
혈관이 늘어나고 과압력을 받아
커지고 비틀거리게 되는 현상

발거술
출처: https://clinicadrmolina.es/en/home-en/

레이저 수술
출처: https://www.veinspecialists.com/

고주파 수술

클라리베인

이미지출처 : 조담진환맥외과

● 특약별 하지정맥류 수술 보상 여부

보상여부	질병수술비	1-5종수술비	N대질병수술비
	△	O	상품별 약관참조

- 하지정맥류 수술은 1-5종수술비에서 1종에 해당됩니다.

● Check Point

Ⓥ 하지정맥류 질병수술비 및 실손의료비는
2016년 1월 이후 치료 목적인 경우 보상이 가능합니다.

개정이전	개정이후
제4조(보상하지 않는 사유) 회사가 보상하지 않는 사항은 보장 종목별로 다음과 같습니다. (중략) 라. 외모개선 목적의 다리정맥류 수술 (국민건강보험 요양급여대상 수술방법 또는 치료재료가 사용되지 않는 부분은 외모개선 목적으로 봅니다)	제4조(보상하지 않는 사유) 회사가 보상하지 않는 사항은 보장 종목별로 다음과 같습니다. (중략) 라. 외모개선 목적의 다리정맥류 수술

•보험사 상품별로 기준이 상이할 수 있으니 해당 상품 약관을 꼭 참조하시길 바랍니다.

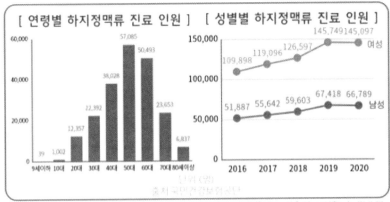

[연령별 하지정맥류 진료 인원]   [성별별 하지정맥류 진료 인원]

단위 (명)
출처 : 국민건강보험공단

•보험사 상품별로 기준이 상이할 수 있으며 해당 내용은 일반적으로 적용되는 기준으로 설명되었습니다.

쌍커풀수술비 보상

 쌍커풀 수술도
보험에서 보상이 가능한가요?

치료 목적으로 안검하수증.안검내반증 수술을
받았다면 실손의료비.수술비 특약 가입시
보상이 가능합니다.

안검하수.안검내반증

안검하수 / 정상

안검하수
윗눈꺼풀을 올리는 근육이
선천적 또는 후천적으로
힘이 약해 눈꺼풀이 아래로
쳐지고 눈꺼풀 틈새가
작아지는 상태

안검내반증
눈꺼풀이 눈 안쪽으로
말려 들어간 것으로
속눈썹이 각막을 찌름

졸려보이는 눈 > 절개를 하여 눈뜨는
근육을 강화합니다. > 절개선을 봉합합니다. > 자연스럽고 밝은
눈매로 완성합니다.

이미지출처 : 에스안과 서면아이성형외과

● 특약별 안검하수 수술 보상 여부

보상여부	질병수술비	1-5종수술비	안과질환수술비
	O	△	O

- 안검하수 수술은 1-5종수술비에서 1종 수술비에 해당합니다.
- 안검내반증 수술은 1-5종수술비에서 보상되지 않습니다.

● Check Point

Ⓥ 외모개선 목적의 수술은 보상이 불가하지만
치료목적일 경우 보상이 가능합니다.

Ⓥ 치료를 위해 수술이 필요한 경우 안과가 아닌 성형외과에서
치료하였을 경우에도 보상이 가능합니다.

•보험사 상품별로 기준이 상이할 수 있으니 해당 상품 약관을 꼭 참조하시길 바랍니다.

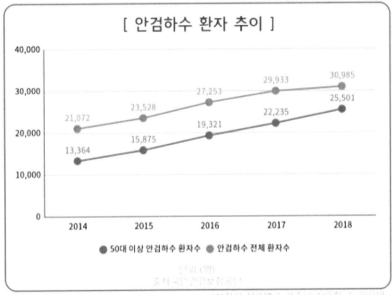

[안검하수 환자 추이]

● 50대 이상 안검하수 환자수　● 안검하수 전체 환자수

단위 (명)
출처 국민건강보험공단

•보험사 상품별로 기준이 상이할 수 있으며
해당 내용은 일반적으로 적용되는 기준으로 설명되었습니다.

항암방사선치료 보상

 항암방사선치료도 수술비 보상이
가능하단 이야기가 있던데 정말인가요?

네 가능합니다.
단. 보험사 상품별 약관에 따라 차이가 있을 수 있으니
가입하신 상품 약관 확인이 필요합니다.

항암방사선 치료란?

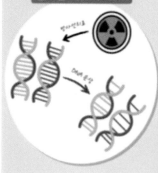

방사선 치료 후 DNA

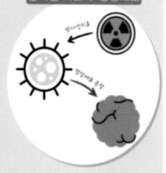

방사선 치료 후 정상세포

방사선은 세포 분열과 성장에 관여하는
DNA를 손상시켜 세포 분열을 억제하는
기능을 합니다.

이러한 방사선 특성을 이용해 암세포를
박멸하는 것이 방사선 치료입니다.

다만 이 과정에서 그 주변 건강한 세포
까지 영향을 받을 수 있습니다.

방사선 치료 횟수,해당 부위,개인 건강
상태에 따라 후유증의 차이가 있을 수
있습니다.

이미지출처 : 어의담병원

● 특약별 방사선치료 보상 여부

보상여부	질병수술비	1-5종수술비	방사선수술비
	△	O	O

• 방사선 치료시 1-5종수술비에서는 3종, 1-3종수술비에서는 1종에서 보상합니다.

● Check Point

(V) 손해보험 상품 약관의 질병 수술의 정의에 신의료기술이 포함되어 있으면 질병수술비 보상이 가능합니다.

생명보험	손해보험
보상가능	예전 상품 불가 / 현재 상품 가능
수술정의 수술 분류표에 따른 수술 악성신생물, 근치 방사선 조사 5000Rad 이상 조사하는 경우	수술정의 1) 관혈수술 (치료부 절제,절단) 2) 비관혈수술 중 내시경, 카테터, 신의료기술 (치료방사선 조사 포함)

(V) 신의료기술(치료방사선조사 포함)이 손해보험 약관상 수술에 포함된 시기가 보험사마다 차이가 있어 정확한 기준을 정할 수 없습니다. 따라서 가입하신 상품의 약관 확인이 꼭 필요합니다.

•보험사 상품별로 기준이 상이할 수 있으니 해당 상품 약관을 꼭 참조하시길 바랍니다.

[암 환자 추이]

 전체 암 환자(연 인원)
• 1,037,050명

 외래 암 환자(연 인원)
• 963,579명

 입원 암 환자(연 인원)
• 73,471명

 신규 암등록 환자 (실인원)
• 29,764명

 암 수술
• 19,320건

 전문 및 특화 진료
• 21,760건

 항암화학요법
• 183,642명

 방사선치료
• 115,149건

 유전자검사
• 3,831건

암 임상실험
• 439건

출처 2019 서울아산병원

•보험사 상품별로 기준이 상이할 수 있으며 해당 내용은 일반적으로 적용되는 기준으로 설명이었습니다.

하이푸 수술비 보상

**자궁근종 제거시 하이푸 시술을 했는데
하이푸도 수술비 보장 가능한가요?**

약관상 수술의 정의에 **신의료기술이 포함**되어 있다면
질병수술비 보상이 가능하며
종수술비 가입시에도 보상 가능합니다.

하이푸 시술이란?

(**H**ifu **I**ntensity **F**ocused **U**ltrasound Therapy System)

고강도 집속 초음파로 복부에 초음파를 투과시켜 고강도 초음파 열로 자궁근종 등
치료 할 부위만을 괴사 시키는것

치료방법	치료원리	마취방법	치료횟수	수술시간	입원기간	단점 및 주의점
외과적 자궁절제술	아랫배를 약 7cm 가로 또는 세로로 절개하여 자궁 전체를 들어냄	전신 마취	1회 치료	90분 ~ 120분	5일 ~ 7일	미래 임신 불가능, 정신적 신체적 후유증 가능성
복강경 근종절제술	배꼽과 아랫배 약 3개의 구멍을 내어 수술기구를 삽입하여 근종만 절제	전신 마취	1회 치료	2시간 ~ 3시간	5일	주변장기손상 및 유착가능성

하이푸는? >

마취나 절개같이
제배에서 초음파를
근종에 집중시켜
근종만 괴사 시키는 원리

선택적 마취와 1~2시간
내외 짧은 수술시간

입원기간
0~2일의 짧은 기간

이미지출처 : 그레이스병원

● 특약별 하이푸시술 보상 여부

보상여부	질병수술비	1-5종수술비	여성질환수술비
	△	O	O

- 일반적인 자궁근종의 경우 1-5종수술비에서 1종으로 분류되며 악성신생물로 구분시 3종 수술비에서 보상합니다.

● Check Point

Ⓥ 손해보험 상품 약관의 질병 수술의 정의에
신의료기술이 포함되어 있으면 질병수술비 보상이 가능합니다.

질병수술비 약관 구분	보상 기준
수술의 정의가 없는 약관	보상 가능
수술의 정의가 있는 약관 - 신의료기술 조항이 없는 경우	보상 불가
수술의 정의가 있는 약관 - 신의료기술 조항이 있는 경우	보상 가능

•보험사 상품별로 기준이 상이할 수 있으니 해당 상품 약관을 꼭 참조하시길 바랍니다.

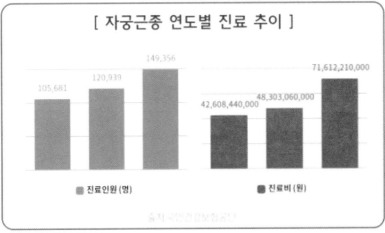

[자궁근종 연도별 진료 추이]

105,681　120,939　149,356

42,608,440,000　48,303,060,000　71,612,210,000

● 진료인원 (명)　　● 진료비 (원)

출처:국민건강보험공단

•보험사 상품별로 기준이 상이할 수 있으며
해당 내용은 일반적으로 적용되는 기준으로 설명되었습니다.

치조골이식 수술비 보상

 임플란트 한 경우 받을 수 있는
수술비가 있다던데 어떤건가요?

대략 2009년 이전(회사별 차등) 가입한
생명보험사 상품 1-3종 수술비 특약이 포함되어
있는 경우 보상 받을 수 있습니다.

치조골이식이란?

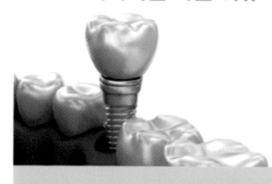

뼈이식 수술 전 꼭 확인하세요!

뼈이식을 하는 이유

임플란트 수술 진행 시 잇몸뼈가
모자라면 뼈 이식을 우선 진행하고
인공치아를 식립해야 합니다.

이미지출처 - 메가탑치과

● 특약별 치조골이식술 보상 여부

	질병수술비	1-3종수술비	치아보험 보철치료비
보상여부	X	△	O

- 대략 2009년 이전 가입한 생명보험사 1-3종수술비 2종에 포함됩니다.

● Check Point

Ⓥ 일반적으로는 치주 질환의 경우 비급여는
실손의료비 및 질병수술비에서 보상하고 있지 않습니다.

Ⓥ 보장이 필요할시 치아보험을 별도로 가입하신다면
보철치료비 또는 보존치료비 등에 대하여 보상받을 수 있습니다.

*보험사 상품별로 기준이 상이할 수 있으니 해당 상품 약관을 꼭 참조하시길 바랍니다.

[치아보험에서 보상하는 진단비 종류]

1) 보존치료비

- 글래스아이노머.아말감.레진 치료 등
- 인레이.온레이 치료
- 크라운 치료

2) 보철치료비

- 브릿지
- 임플란트
- 틀니

3) 그외 치과치료

- 신경치료
- 영구치발거
- 치주질환(잇몸질환)
- 등

*보험사 상품별로 기준이 상이할 수 있으며
해당 내용은 일반적으로 적용되는 기준으로 설명하였습니다.

06

실생활에 도움이 될 Q&A

01 건강검진

Q 컨디션이 안좋아
건강검진을 받았습니다.
건강검진한 비용도
실비청구 할 수 있나요?

#건강검진실비 #검진중대장용종제거 #의사권유

 건강검진의 목적이 무엇인가에 따라 보상 가능 여부가 달라집니다.

● 건강검진 보상 기준

단순 검진 목적. 본인이 원해서 시행한 검사일 경우에는 보상이
불가하며 의사가 권유하거나 질병이 의심되어 검사를 진행한 경우는
보상이 가능합니다. 진료비 영수증에 진찰료 표시 여부에 따라
검사/검진으로 구분되며 보상 거절시 의사 소견서가 필요할 수 있습니다.

의사 권유 검사	단순 건강 검진
보상 가능 의사의 임상적 소견서 필요	보상 불가 예방 차원은 보상 안됨

● 건강검진 중 용종제거

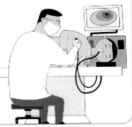

스스로 원해서 받는 건강검진은 실비 보상을 받을 수 없지만
건강검진 중 이상소견으로 발생한
추가적인 검사나 치료비 등은
실비 청구가 가능합니다.
대표적으로 용종 제거가 있습니다.
건강 검진 중 용종 제거시 수술비 특약에
가입이 되어 있다면 추가적으로
수술비 보험금도
받을 수 있는 경우가 있습니다.

*보험사 약관별로 기준이 상이할 수 있으며
해당 내용은 일반적으로 적용되는 기준으로 설명되었습니다.

02 한방치료

Q 한의원 진료를
받고싶은데
한방치료도 실비보상
가능한가요?

한방치료 중 급여 적용 항목은 실비 보상이 가능합니다.

● 한방치료 보상 기준

2009년 8~10월 실손의료비보험 표준화가 시행된 이후
한방치료 시행시 급여 항목에 한해 실비보험 청구가 가능합니다.

구분		2009년 8~10월 이전		2009년 8~10월 이후	
		급여	비급여	급여	비급여
한방병원	입원	보상	보상	급여만 보상	보상 불가
	통원	보상불가	보상불가		
한의원	입원	보상	보상		
	통원	보상불가	보상불가		
한방치료	입원	보상	보상		
	통원	보상불가	보상불가		

● 대표적인 보상항목

보험한약

2022년 기준
56가지

추나요법

연간 20회
(2019년 4월부터 소급 적용)

침.부항.뜸

급여적용
한방치료

03 피부과치료

Q

피부과 진료 중
실비 보상이 가능한 건
무엇인가요?

피부과 치료는 치료 목적 질환인 경우 보상이 가능합니다.

● 피부과치료 보상 기준

건선.아토피.건조증 등 미용목적이 아닌 치료목적의 피부질환으로 피부과 치료를 받은 경우 보상받을 수 있습니다.

미용목적

보상불가

치료목적

보상가능

● 치료목적 피부질환

피부질환	질병코드	피부질환	질병코드
기타건선	L40.8	기타 가려움 발진	L28.2
건조피부염	L85.3	달리 분류되지 않은 피부 및 피하조직 기타 장애	L98
상세불명 아토피피부염	L20.9	얼굴의 표재성 손상	S00.8
지루성 피부염	L21.9	신체부위의 표재성 손상	T14
상세불명의 가려움	L22.9	화상	T30.2

백내장. 도수치료에 이어 피부과 과잉진료가
최근 문제가 되고 있습니다.
2022년 상반기 보험사에서 아토피 치료 목적의
MD 보습제 보상 한도 제한 조치 등
향후 피부과 치료의 보상기준 강화 및
보장 한도 축소도 예상되고 있습니다.

04 탈모치료

Q 최근 탈모가 생겨
탈모치료를 좀 받으려하는데
탈모치료도
실비보상이 되나요?

#탈모치료 #탈모실비 #스트레스

 질병으로 인한 치료목적인 경우
실비 보상이 가능합니다.

● 탈모치료 보상 기준

탈모치료는 크게 유전성.노화성.스트레스성.지루성 탈모로 구분됩니다.
이중 치료목적으로 인정된 탈모치료만 실비 보상이 가능합니다.

미용목적 X

모발이식.발모제 등

치료목적 O

질병 (지루성두피염 등)
으로 인한 탈모.
스트레스성 원형 탈모

● 탈모유형별 질병코드

L63 원형탈모
L63.0 전체(두피)탈모증
L63.1 전신탈모증
L63.2 뱀모양탈모증
L63.8 기타원형탈모증
L63.9 상세불명의 원형탈모증
L64 안드로젠 탈모증
L64.0 약물유발 안드로젠 탈모증
L64.8 기타 안드로젠 탈모증
L64.9 상세불명의 안드로젠탈모증

L65.0 휴지기탈모
L65.1 성장기탈모
L65.2 정액성탈모증
L66 흉터탈모증
L66.1 거짓원형탈모증
L66.2 탈모성모낭염
L66.8 기타흉터탈모증
L66.9 상세불명의 흉터탈모증
Q84.0 선천탈모증

※ 여러 탈모 유형 중 L63. L65 진단시에만 실비 보상 가능합니다.

05 허리디스크치료

Q 허리가 너무 아파
병원에 가니
MRI 촬영을 권유하는데
실비 보상 가능한가요?

#허리디스크 #MRI촬영 #입통원한도

 허리디스크 치료는 가입시기별로 보상이 달라질 수 있습니다.

● 허리디스크 치료 보상 기준

MRI촬영시 당일 촬영할시 실비 통원 한도를 초과하게 됩니다.
통원 한도는 가입시기별로 금액이 다릅니다.
통원 금액을 초과하는 경우 입원하여 촬영이 가능하다면
MRI비용을 더 많이 보상받을 수 있습니다.

구분	실비 지급율	통원한도
2009년 8~10월 이전	100% 보상	1일 10만원
2009년 8~10월 ~ 2013년 3월	90% 보상	1일 20 or 25만원(약제비 별도)
2013년 4월 ~2017년 4월	80% 보상	
2017년 4월 이후	70% 보상	연간 300만원 한도

척추관련 질병은 특성상 재발이 잦고 치료비용이 비급여인 경우가
많아 많은 비용이 발생합니다. 따라서 척추관련 질병 치료 및 보상
청구 전 반드시 보장분석을 진행하시는게 좋습니다.

아래 허리 통증 M54.5 /S33.5
퇴행성 척추탈위증 M43.1
허리 추간판 탈출 M51.2,M51.1,M51.3
외상성 허리 추간판 탈출 S33.0
외상성 허리 추간판 팽윤 S33.5

보험사 지원별로 기준이 상이할 수 있으며
해당 내용은 일반적으로 적용되는 기준으로 설명되었습니다.

에필로그

보험 설계사는 매우 전문적인 직업이지만 진입 장벽이 낮아서 간단한 시험만 합격하면 남녀노소 불문하고 일을 시작할 수 있고 누구나 전문가 행세를 하면서 영업할 수 있습니다. 하지만 많은 설계사들이 제대로 된 교육을 받지 않아서 스스로 설계조차 할 줄도 모르고, 보험의 원리와 구체적인 특약에 대해 알지 못하는 경우가 대부분입니다.

그러므로 저는 고객분들께 보험에 대해 제대로 알고 자신의 상황에 맞게 위험을 예측하여 필요한 특약을 위주로 보장 자산을 설정하여 상황에 맞게 보험을 잘 활용하셔야 한다고 강조하고 있습니다.

보험에 대한 정보가 어두운 고객들은 전문 지식이 없고 판단력이 부족하기에 설계사의 말만 믿고 가입과 해지를 반복하고 피해만 보고 있습니다.

어린 나이에 돈을 벌기 위해 보험 회사에 입사하고 이제 8년 차가 되어 보니 보험 영업이 제 인생에 많은 의미로 남아 있습니다.

지급받기 까다롭고 거의 불가능하기까지 했던 보험금을 보상 담당 직원과 며칠 동안 싸워가면서 고객님께 지급해 드리고 5백만 원에 그칠 뻔했던 보험금을 그보다 몇 배 더 많이 지급해드릴 수 있도록 도우면서 보험 설계사 일을 하루하루 행복하고 보람차게 하고 있습니다.

앞으로도 이 일을 평생의 업으로 삼아 고객의 평생 보험 파트너로서 든든한 버팀목이 되겠습니다.

보 험 의 모 든 것

보험의 모든 것

지 은 이 인선교
발   행 2023년 12월 15일
펴 낸 이 한건희
펴 낸 곳 주식회사 부크크
출판사등록 2014.07.15.(제2014-16호)
주   소 서울특별시 금천구 가산디지털1로 119 SK트윈타워 A동 305호
전   화 1670-8316
이 메 일 info@bookk.co.kr

I S B N 979-11-410-6006-0

www.bookk.co.kr
ⓒ 인선교 2023